François Tardif

Nick
la main froide

ÉPISODE 12
LE PHARE D'ALEXANDRIE

Illustrations de Michelle Dubé

Les éditions
du petit monde

Les éditions du petit monde
2695, place des Grives
Laval, Québec
H7L 3W4
514 915-5355
www.leseditionsdupetitmonde.com
info@leseditionsdupetitmonde.com

Direction artistique : François Tardif

Révision linguistique
et correction d'épreuves : Josée Douaire
Conception graphique : Olivier Lasser
et Amélie Barrette
Illustrations : Michelle Dubé

Dépôt légal,
Bibliothèque et Archives nationales du Québec, 2009

Copyright 2009 Les éditions du petit monde

**Catalogage avant publication de Bibliothèque et Archives
nationales du Québec et Bibliothèque et Archives Canada**

Tardif, François, 1958-

   Le Phare d'Alexandrie
   (Nick la main froide ; épisode 12)
   Pour les jeunes de 9 à 12 ans.

   ISBN 978-2-923136-17-2

   I. Dubé, Michelle, 1983- . II. Titre. III. Collection : Tardif,
François, 1958- . Nick la main froide ; épisode 12.

PS8589.A836P52 2009   jC843'.6   C2009-941358-2
PS9589.A836P52 2009

FRANÇOIS TARDIF est né le 17 août 1958 à Saint-Méthode au Québec.

Il a étudié en théâtre, en cinéma et en scénarisation. Auteur de la série télévisée *Une faim de loup* diffusée sur Canal famille et sur Canal J en Europe, il en interprète aussi le rôle principal de Simon le loup. Il est aussi l'auteur de nombreuses pièces de théâtre pour enfants, dont *La gourde magique*, *À l'ombre de l'ours*, *Vie de quartier*, *La grande fête du cirque*, *Dernière symphonie sur l'île blanche*, *L'aigle et le chevalier* et *Les contes de la pleine lune*.

Ces dernières années, il a écrit plus de 30 romans jeunesse dont *La dame au miroir*, *Espions jusqu'au bout*, *L'hôtel du chat hurlant*, *Le sentier*, *Numéro 8*, *Les lunettes cassées*, *Des biscuits pour Radisson*, *Pistache à la rescousse*, *Les jumeaux Léa et Léo* et bien d'autres encore.

En préparation; les 4 tomes des romans pour adolescents: *Klara et Lucas*.

Depuis quelques années, il plonge dans l'univers de Nick la main froide et prépare déjà l'écriture de ses prochaines aventures, dont *La coupe de cristal*, *Le dôme de San Cristobal* et d'autres histoires qui mèneront Nick et toute sa bande aux quatre coins de la planète. Plus de 36 épisodes sont prévus dans la série Nick la main froide.

* * *

MICHELLE DUBÉ est née le 5 septembre 1983 à Baie-Comeau.

Elle crée avec Joany Dubé-Leblanc la revue *Yume Dream*, dans laquelle elle publie ses bandes dessinées. Elle travaille aussi comme dessinatrice avec Stéphanie Laflamme Tremblay à une nouvelle BD.

Elle adore le dessin et l'écriture. Cela lui permet de s'évader et d'avoir une bonne excuse pour avoir l'air dans la lune. Durant ses passe-temps, en plus d'adorer la compagnie des animaux, elle dévore les romans en grande quantité. Collaboratrice pour Les éditions du petit monde depuis le tout début de la série Nick, elle continue à nous offrir les illustrations de tous les *Nick la main froide*.

Résumé de la série jusqu'ici

Nick a une main froide. Sa tante Vladana, alchimiste et sorcière, fabrique des parfums et des potions qui guérissent les gens. Un jour, elle entreprend la fabrication d'un élixir aux propriétés secrètes. Dans un livre très ancien qu'elle a exhumé d'un tombeau égyptien, elle trouve une liste de 360 ingrédients saugrenus. En réalisant cette potion, un accident se produit et Nick reçoit sur sa main droite un liquide inodore et invisible. Sa main a maintenant des propriétés insoupçonnées que Nick découvre au fil des jours. Son nouveau voisin, Martin, est le premier à comprendre que cette main est dotée de pouvoirs. À partir de ce jour, Nick et Martin deviennent d'inséparables amis et partagent tous leurs secrets. Béatrice Aldroft, une Américaine qui vient vivre au Québec pendant un an, se lie d'amitié avec eux. Ensemble, ils décident de changer le monde.

Dans l'épisode 7, Nick et ses amis ont appris que Vladana est immortelle. Cette révélation changera tout ce qu'ils entreprennent. Dans l'épisode 8, Martin, grand joueur de soccer, cherche à faire partie des White Wings, une équipe regroupant les meilleurs joueurs chez les douze ans et moins au pays. Grâce à l'aide de Nick, Vladana et Béatrice, Martin va puiser des ressources au plus profond de lui pour vivre cette expérience fantastique.

Dans l'épisode 9, *La Neuvième merveille du monde*, Nick, Béatrice et Martin se retrouvent en possession d'une sculpture cassée en deux représentant un temple mystérieux et secret. En Égypte, deux jeunes, Mohamed et Mahmoud, trouvent la deuxième partie de ce temple en pensant qu'il s'agit d'un trésor. Ces deux sculptures et leurs énergies précieuses réunissent et entraînent tous ces jeunes bien au-delà du monde connu.

Dans l'épisode 10, *Les gardiens du temps*, Nick et Béatrice se perdent dans les dédales des couloirs du temps pendant que Martin et son équipe de soccer courent de graves dangers lors de leur voyage en Égypte. Pour venir en aide à Martin, Nick et Béatrice doivent affronter les gardiens des grands mystères égyptiens, dont le sphinx lui-même.

Dans l'épisode 11, au milieu d'une interminable tempête de sable, Nick, Béatrice et Martin réussissent, après de multiples efforts, à atteindre le mythique temple d'Osiris. Ils y découvrent un secret précieux.

Vous pouvez aussi lire :

CHAPITRE 1

La bibliothèque d'Alexandrie

Nick et Vladana se trouvent dans le port d'Alexandrie. Devant eux, des centaines de bateaux accostent ou quittent le port. Le soleil de plomb illumine tout autour. Des milliers d'ouvriers travaillent sur un chantier énorme. Des curieux s'approchent et passent devant ou derrière Nick.

— Superbe, Vladana… quel genre de film est-ce ? On jurerait que c'est vrai… Ah ! J'oubliais que je rêve.

— Tu te trouves effectivement dans un rêve mais c'est la réalité en même temps… Tu assistes à la fin de la construction du Phare d'Alexandrie. Ce Phare a été une des grandes merveilles du monde ; il a guidé tous les grands marins pour éviter que leur embarcation ne s'échoue sur la côte égyptienne. Mais ce

Phare dégageait à l'époque une énergie incroyable. Tout le monde habitant aux alentours du Phare vivait dans la paix... puis, quelque chose est arrivée et tout s'est écroulé. As-tu remarqué qu'ici, on procède à des fouilles et des recherches archéologiques pour retrouver et reconstruire ce Phare ? Un mystère existe entourant cette merveille ; mystère que les humains aimeraient bien percer.

Depuis leur arrivée à Alexandrie, pendant que Martin s'entraîne le jour avec son équipe des White Wings et avec l'équipe des Sphinx d'Alexandrie, Vladana lui fait visiter toutes les époques en l'emmenant avec elle dans le monde de cristal par le biais du rêve.

Nick n'a jamais vu autant de monde travailler en même temps. Il voit des centaines de personnes transporter des poutres de bois et des grands blocs de pierre. À l'aide de plusieurs attelages de chevaux et utilisant la technique de roulement sur une travée remplie de billots de bois, des hommes, habillés comme sur les dessins aperçus par Nick dans des livres d'histoire, s'affairent à acheminer des tonnes et des tonnes de matériel.

— Attention, Vladana !

Nick aperçoit, sur sa droite, un détachement armé d'une centaine d'hommes qui marchent à très bon pas directement vers eux. Vladana se retourne, fait face au groupe mais ne bouge pas. Tout le monde autour se pousse rapidement pour éviter d'être piétiné. Nick essaie d'attirer Vladana vers le bas côté de la route mais il intervient trop tard.

Nick se jette alors au sol, évite la cohorte de justesse et se retrouve au premier rang pour assister à un spectacle unique. Plus d'une trentaine de soldats armés jusqu'aux dents passent à travers le corps de Vladana sans que celle-ci ne bouge d'un iota. Vladana et Nick sont des fantômes, des hologrammes ou tout simplement des personnages de rêve. En tout cas, personne ne les voit même s'ils se trouvent au milieu d'une scène qui semble si réelle. C'est beaucoup mieux qu'un film en trois dimensions, se dit Nick. C'est la réalité. Pourtant, ils se retrouvent en Égypte, à Alexandrie, il y a plus de 2200 ans.

Après ce bref passage, les gens aux côtés de Nick se replacent, sans même la voir, tout près de Vladana pour observer le détachement armé qui se dirige d'un bon pas vers le Phare.

— Vladana! crie Nick en s'apercevant que les gens de son entourage ne le voient pas. Regarde, Vladana! Ces gens passent aussi à travers moi sans me voir.

— Oui! dit Vladana en riant.

— C'est génial, rit aussi Nick. You hou, vous me voyez ?

Nick interpelle plusieurs passants, essaie en vain de leur toucher puis, saisissant cette opportunité unique, se dirige en courant vers le chantier.

Vladana le suit lentement et calmement, riant de bon cœur en voyant Nick s'amuser autant.

Nick s'amuse en effet follement. Il passe et repasse à travers tous les gens sur son passage. Puis, tout doucement, il s'attarde sur certaines personnes. Il se sent à chaque fois empreint d'une émotion différente qu'il essaie d'identifier.

— Cette personne se sent très heureuse et en santé. Celui-ci se sent le plus fort de tous.

Puis il commence à rire d'empathie avec un des groupes qu'il visite car ces gens s'amusent franchement beaucoup.

Ensuite, s'avançant vers le chantier, il se place au milieu de tous les travailleurs et se sent alors fatigué de tant d'efforts qu'il partage soudainement avec eux.

Vladana s'aperçoit que des gens transportant des matériaux de construction se dirigent droit vers lui. Elle lui fait signe de se pousser un peu car il pourrait ressentir toutes les pensées de ces gens en même temps.

— Nick, dit Vladana, ne fais pas exprès de tout ressentir ; tu pourrais être trop attiré par cette époque et vraiment vivre ces situations, tu comprends ?

— Il n'y a pas de problème, tout me passe à travers ! dit Nick en sautillant de joie tellement cette nouvelle activité lui plaît.

Tout à coup, un homme situé à environ dix mètres de Nick recule vers lui en faisant des signes à un groupe de plusieurs dizaines d'ouvriers qui contrôlent la levée d'une pierre pesant au moins une tonne avec un système très complexe de leviers.

Vraisemblablement, cet homme semble le chef du chantier. Il est très affairé à diriger tous les travaux de construction.

Sur la gauche, Nick voit venir en renfort une deuxième cohorte armée d'une vingtaine de soldats qui se dirigent à vive allure vers le port où il semble s'être déclenchée une intervention musclée contre des voyous sur un bateau.

Nick sent venir l'inéluctable. Il y aura collision entre le chef et le petit groupe de soldats. Il se précipite donc vers l'homme qui ne voit pas la cohorte se diriger vers lui... il essaie de l'arrêter ou de s'adresser au chef mais n'arrive qu'à passer ses mains à travers l'homme qui continue à se diriger bien malgré lui vers un accident qui semble inévitable. Nick le voit bien, dans quelques instants, il y aura une collision. Les soldats sont affairés alors que l'homme est trop concentré sur son chantier pour prévoir ce qui lui arrivera dans quelques secondes.

— Nick, tu n'y peux rien; nous ne sommes que des observateurs. Nous avons la chance d'être ici grâce au cristal mais nous ne pouvons pas intervenir! lui dit Vladana en lui faisant signe de s'éloigner de cet endroit.

— Nous sommes dans un film?

— C'est plus que ça... viens par ici, Nick!

— Non, attends! Il faut que j'essaie de l'aider, sinon... il va se faire mal!

— Nick, Nick! dit Vladana, très sérieuse et insistante. Tu touches à des énergies très fortes et tu...

Nick ne l'écoute plus... Il se dirige vers les soldats en essayant de trouver une solution. Il essaie de les bloquer en leur lançant des pierres mais n'arrive même pas à en soulever une. Ses mains passent constamment à travers la matière.

Ne se décourageant pas, il court vers le chef des travaux et pose sa main froide sur sa tête.

— Nick! lui crie Vladana, un peu nerveuse. Viens ici, Nick.

Nick ne l'écoute pas, reculant avec le chef et essayant de maintenir sa main sur sa tête. Le chef, tout en reculant, semble réagir à la main de Nick. Il se gratte alors la tête à l'endroit précis où Nick a placé sa main.

— Nick ! Attention ! crie plus fort Vladana.

Aussitôt, le petit groupe armé entre en collision avec le chef qui s'écroule au sol. Ses ouvriers réagissent sans réfléchir et, en voulant lui prêter main forte, provoquent une réaction en chaîne qui les amène à échapper la pierre qu'ils transportent. Catastrophe ! Cette pierre tombe directement sur le chef et écrabouille sa jambe droite.

Nick n'a pas le temps de s'éloigner du chef tellement tout se passe rapidement. Il ressent alors d'une façon si aigüe la douleur de l'homme qu'il n'arrive pas à s'extirper de sa position précaire, lui aussi coincé sous la pierre.

Vladana rejoint Nick.

— Vladana, ça fait mal. Regarde ! Regarde, ma jambe aussi est écrabouillée.

— Nick ! lui chuchote Vladana à l'oreille. Tu es dans un rêve, tu n'es pas vraiment sous cette roche. Nous sommes de l'autre côté du monde de cristal. Nous vivons plus de 2 000 ans plus tard et nous ne sommes que des spectateurs, ici. Tu ne peux pas avoir mal !

Un jour, je t'enseignerai les rudiments du voyage dans le monde de cristal mais là, nous rêvons !

— Vladana, ça fait mal.

— Nick, écoute-moi. Ce n'est pas ton mal, c'est la douleur de cet homme que tu ressens.

— Vladana… tu es certaine ? Pourtant, je n'arrive pas à dégager mon pied qui est emprisonné sous cette roche.

— Oui, tu le peux… Dis-toi que ce mal n'est pas à toi… pas à toi !

— Pas à moi… pas à moi…

Lentement, la jambe de Nick passe à travers la grosse pierre. Nick s'éloigne de celle-ci et observe la centaine d'hommes qui essaient de libérer le chef du chantier qui hurle à pleins poumons.

— C'est de ma faute, Vladana…

— Non, nous sommes des fantômes. Nous sommes de l'autre côté du monde de cristal, dans une bibliothèque… Quand tu lis un livre d'histoire et que l'auteur décrit un personnage en danger, est-ce que tu peux y changer quelque chose ?

— Je sais ce que tu veux dire mais quand je lui ai touché avec ma main froide, il s'est tourné vers moi… Peut-être que ma main…

— Viens, Nick.

— Que va-t-il lui arriver ?

— Nous n'y pouvons rien. Viens, Nick. Tout ça s'est déroulé il y a des siècles et des siècles... Tu assistes à un film.

— Quel film extraordinaire!

Vladana marche maintenant si rapidement que Nick peine à la suivre. Il faut dire que Nick s'arrête constamment pour regarder de plus près tous ces gens qui s'affairent et qui transportent des pierres, du bois, du sable, de la nourriture et tous ceux aussi qui remontent vers l'endroit où l'accident a eu lieu. Nick trouve tout cela tellement beau et tellement vrai. Les voiliers au loin, la mer si bleue et le soleil... Quelle pureté et quelle clarté.

Descendant cette colline, Nick peut voir la direction que prend Vladana. Alors, tout en la suivant, il s'arrête quelquefois, salue les gens qu'il croise qui, invariablement ne le voient pas. Parfois, il passe à travers eux par pur plaisir dans le but de sentir à nouveau ce qu'étaient les pensées des Égyptiens d'une autre époque. Il entend et ressent les pensées de chacun :

— Le pharaon est mon dieu sur Terre.

— Cette pierre servira à construire des merveilles.

— Le soleil me nourrit.

— Je suis si bien.

Nick est surpris de ressentir autant de pureté et de qualité de concentration chez presque tous les Égyptiens qu'ils rencontrent. Tous travaillent dans le même but, simplement, avec force et détermination.

— Nick, lui dit soudain Vladana en s'arrêtant sur le bord de la Méditerranée, ici, bientôt, sera érigé le Phare d'Alexandrie. Dans moins d'une heure, il y aura une cérémonie et le Phare sera opérationnel. Viens avec moi. Je veux te montrer autre chose.

Vladana l'entraîne alors au milieu d'une toute petite oasis. Ils se retrouvent presque seuls à marcher à travers quelques palmiers et une allée d'oliviers qui mènent à une source qui nourrit un petit étang.

— Nick, voici la bibliothèque d'Alexandrie.

— Quoi ? J'ai souvenir que tu m'aies dit ce matin que nous irions à une bibliothèque de l'autre côté du monde de cristal mais je ne vois pas de bibliothèque, ici.

— Nous nous trouvons déjà dans une bibliothèque mais elle est différente de celles que nous connaissons dans notre monde.

Vladana lui pointe du doigt un édifice de pierre immense qui se détache derrière les arbres.

— Là-bas, Nick, il y a des milliers de manuscrits et des livres très rares que nous n'avons pas eu la chance de lire puisque la bibliothèque brûlera en l'an 47 avant Jésus-Christ, donc avant l'an zéro de notre ère.

— Et nous, pouvons-nous y aller ? C'est Béatrice qui serait contente, elle aime tellement lire.

— Il y a d'ailleurs aussi un livre écrit sur elle.

— Sur Béatrice ?

— Oui et sur toi, aussi !

— Quoi ?

— Mais pas là où les gens s'y attendent. La bibliothèque d'Alexandrie était divisée en deux sections : une publique et une secrète.

Vladana se penche sur l'étang, laisse couler l'eau entre ses doigts et la regarde tomber goutte à goutte. Nick s'agenouille près d'elle et la regarde si concentrée, si sensible et si belle aussi.

— Une deuxième bibliothèque, où ça ? demande Nick tout doucement.

— Nick, dit Vladana très faiblement, tu te rappelles que l'on est dans un rêve… ou plutôt dans un état de rêve.

— Oui mais tout semble si réel !

— Là, je vais t'amener dans un rêve encore plus grand.

— Un rêve dans un rêve ?

— Quand tu voudras, plonge.

Vladana, en disant cela, sort de ses poches deux petites ailes blanches qu'elle dépose sur l'eau à une distance d'un mètre environ l'une de l'autre. Elle ferme ses yeux, plonge dans l'étang et, à la grande surprise de Nick, ne remonte pas à la surface.

Au bout de trois ou quatre minutes, Nick ferme les yeux et plonge à son tour, confiant d'entrer dans un monde accueillant. Sous l'eau, il se sent attiré par un courant d'eau chaude qui le transporte sur une bonne centaine de mètres. Gardant les yeux fermés, il se sent attiré par un courant d'eau chaude qui le transporte sur une bonne centaine de mètres. Gardant toujours les yeux fermés, Nick se sent tout à coup aspiré vers le bas dans une spirale digne des plus grandes glissades d'eau. Ressentant l'euphorie dans son ventre, il tombe alors dans le vide, flottant dans de l'air moelleux comme de la ouate. Il se sent bien et en sécurité dans ce monde et cette ambiance inconnue. Depuis que Vladana lui a appris à voyager au-delà du monde de cristal, il sait qu'il doit suivre ses instructions pour accéder au voyage. Un jour, il espère qu'il pourra s'y rendre autrement que par le rêve. Elle lui a dit de fermer les yeux puis elle a plongé ! se répète-t-il. Mais ces ailes venaient d'où ? Nick a tellement confiance en Vladana qu'il la suivrait partout. Il visite tant et tant de merveilles auprès de cette dernière. Mais là, où veut-elle le conduire ? Et de quelle bibliothèque parle-t-elle ? Il y aurait un livre sur lui ? Sur Béatrice, sur Martin ? Il continue à flotter dans une sorte de ouate puis il entend la voix de Vladana qui vient à sa rencontre.

— Nick, je suis heureuse que tu soies venu, lui dit Vladana en lui prenant la main. Ouvre les yeux, maintenant.

Nick est surpris. Il a l'impression d'être dans le vide absolu et de voler. Tournant sur lui-même et pirouettant trois ou quatre fois, il s'amuse comme un fou. Autour de lui, il aperçoit des couleurs, des formes parfois floues, parfois plus précises mais partout, il y a de l'espace, du vide blanc, bleu, noir, en spirale, en tourbillon, en tunnel... Il n'y a plus de haut, de bas, de devant ou de dessous. Vladana adore voir Nick s'amuser dans le monde des couleurs. Lui, adore la sensation de voler, d'être libre et d'aller où bon lui semble.

Au bout d'une éternité, Nick aperçoit une tache bleue qui l'attire. Il s'y rend ! La tache bleue grossit puis prend toute la place. Nick, rapidement, se retrouve à l'intérieur d'une immense sphère. Posant les pieds au sol, il remarque alors qu'autour de lui, à perte de vue, des centaines de personnes se promènent, avec un ou des livres à la main. Nick aperçoit des escaliers qui mènent à des dizaines et des centaines d'étages. Sur les paliers, Nick voit des rayons et des livres, des milliers de livres.

Devant lui, Vladana tient un grand livre dans ses mains.

— Tante Vladana, tu as vu tous ces livres ?

— C'est la plus grande bibliothèque du monde.

— Où sommes-nous ?

— Dans le petit étang à côté de la bibliothèque d'Alexandrie.

— Quel livre regardes-tu ?

Nick jette un coup d'œil sur la page couverture et y lit « La vie de Martin Allart. »

— Quoi ?

— C'est l'histoire de Martin. Regarde-le alors qu'il était âgé de dix-sept ans !

Nick regarde la page que Vladana consulte des yeux. Il y voit des écritures et plusieurs photos.

— Dix-sept ans, dit Nick. Comment ça, dix-sept ans ? Il a dix ans en ce moment.

Vladana tourne les pages et revient à la page où le titre est « Nick et Béatrice organisent une fête surprise pour Martin. » Nick fixe la page et aussitôt, les mots se détachent et virevoltent dans les airs. Les photos prennent vie et Nick se retrouve au centre d'une scène qu'il se rappelle avoir vécue l'été dernier lors d'une fête surprise organisée en l'honneur de son ami.

— Je vois tout : la table, les amis et les cadeaux.

— Tu voyages dans le temps, Nick, à la vitesse que tu veux... c'est celui qui tient le livre qui dirige ce qu'il veut voir, à la vitesse de sa pensée. Tiens, vas-y, essaie à ton tour !

Vladana lui tend le livre. En quelques secondes, Nick assiste à sa première rencontre avec Martin, ses aventures au musée de Boston, les premiers pas de son ami quand il était bébé... Il peut tout voir de sa vie.

— Vladana. Qu'y a-t-il dans les pages de son futur ?

— Tout est là ! Toutes les possibilités de Martin sont là !

— Ah ! Oui ?

Nick fait tourner les pages. Il aperçoit Martin dans l'avion qui l'amène en l'Égypte. Il voit la scène avec le sphinx, la réunion des deux demi-temples d'Osiris, puis sa rencontre avec Mohamed et Mahmoud. Aussi, la scène de ce matin quand il est parti avec Vladana et qu'il a dit au revoir à Martin et à Béatrice qui l'accompagnait vers le terrain de football où les White Wings allaient s'entraîner avec l'équipe de Mahmoud. Nick voit aussi que Mohamed n'a pas suivi son cousin mais s'est plutôt placé en retrait pour les suivre, Vladana et lui.

— Vladana, Mohamed nous a suivis en cachette.

— Je vois bien cela !

— Est-ce que nous pouvons voir ce qui est arrivé par la suite ?

— Oui mais il faudrait trouver ton livre ! Là, nous regardons et lisons le livre de Martin.

— Peut-être que Mohamed nous a vus plonger à travers le cristal !

Vladana a enseigné à Nick sa façon originale et fantastique d'accéder au monde de cristal, là où un monde mystérieux s'offre à lui. Ce matin, elle l'a entrainé tout près du Fort Qatbay, à l'endroit même où le Phare d'Alexandrie trônait avant d'être détruit mystérieusement. Elle a sorti de son sac une petite salamandre qui a déversé un liquide au sol, du cristal. Vladana a touché ce liquide de ses mains et l'a étiré au point de laisser au sol une petite flaque de cristal qui ressemblait à un étang. C'est dans cet étang que le petit groupe d'amis a plongé. Nick a fermé les yeux, Vladana a posé sa main sur son front et Nick s'est endormi. Sa tante lui a alors pris la main avant de le faire plonger dans ce monde.

— Vladana, dit Nick en pensant à Mohamed qui les a suivis, est-ce que Mohamed a pu nous suivre jusqu'ici, de l'autre côté du monde de cristal ?

— Non, s'il nous a observés, il nous a seulement vus nous enfoncer dans le sol. Pour lui nous réapparaîtrons en une fraction de seconde. Le temps s'est un peu arrêté quand nous sommes ici.

Nick a bien l'intention d'en savoir un peu plus sur cet espionnage de l'ami de Mahmoud. Il compte bien aller consulter le livre narrant sa propre histoire pour voir si Mohamed a tenté l'impossible. Il fera cela plus tard car maintenant, tenant le livre de Martin dans ses mains, il compte bien allez voir son futur : gagnera-t-il la Coupe de Cristal ? Puisqu'il est dans la mythique bibliothèque d'Alexandrie et qu'il a accès au futur de son ami, il tourne la page pour voir la suite de la vie de son ami.

Horreur ! En trois dimensions, comme si cela se déroulait instantanément, il aperçoit Martin qui est attaché à une planche et qui s'apprête à recevoir des couteaux lancés par un Égyptien. Une foule rigole.

Nick refuse de voir son ami mourir alors il laisse tomber le livre par terre et toute la scène disparaît.

Chapitre 2

Farhoud, le lanceur de couteaux

Nick se réveille sur le bord de la Méditerranée, devant le Fort Qatbay. Mohamed est là qui l'attendait.

— Nick, ça va ?

— Non, ça ne va pas. Sais-tu où est Martin ? Il faut que je le rejoigne tout de suite, il est en danger.

— Non, j'en serais surpris. Il pratique au football avec son équipe et l'équipe de Mahmoud.

— Quelqu'un tente de le tuer ! répond Nick en état de panique. Où est le terrain de football ?

— Par là ! indique Mohamed.

— Peux-tu m'y mener et vite ?

Mohamed se demande ce qui a bien pu se passer devant lui durant la dernière minute. Il avait décidé de suivre Vladana et Nick. Il les a entendus parler des sept merveilles du monde et il se demande s'ils ne sont pas à la recherche de certains trésors enfouis. Il les a donc suivis en secret ce matin et, effectivement, il s'est rendu compte qu'il se dirigeait vers le site archéologique de monsieur Letourneur.

— Ils connaissent certainement des endroits qui n'ont pas encore été creusés, s'est dit Mohamed en les suivant ce matin.

Puis, à sa grande surprise, tantôt il les voit devant la mer puis tantôt il ne les voit plus. Puis, à peine quelques instants plus tard, il voit Nick qui réapparaît sous ses yeux en état de panique. Pour couronner le tout, voilà que Vladana les rejoint.

Mohamed, sentant bien qu'il a tout intérêt à se tenir tout prêt de Vladana et de Nick qui ont l'air de connaître des endroits remplis de trésors, ne se fait pas prier. Il court en direction du terrain, suivi de Nick. Mais Vladana saisit l'épaule de son neveu et l'arrête :

— Nick, Nick, calme-toi.

— Mais Martin, j'ai vu son futur. On va l'attaquer au couteau en Égypte.

— Attention Nick. Je t'ai laissé venir dans cette bibliothèque mais ne saute pas trop vite aux conclusions. Rares sont ceux qui ont accès au futur, très rares.

— Je n'aime pas ça.

— Ne t'inquiète pas. Je l'ai aussi vu âgé de dix-sept ans. Alors l'événement de l'homme qui lançait des couteaux signifie sûrement autre chose.

— Toi, tu peux voir le futur de tout le monde quand tu vas là ?

— Oui mais je ne regarde pas, la plupart du temps. Je préfère ne pas savoir…

— Et cette bibliothèque était en Égypte ?

— Pas était mais plutôt est en Égypte. Les Égyptiens avaient compris et incorporé à leur vie beaucoup de choses qui nous apparaissent incompréhensibles aujourd'hui.

Mohamed revient vers Nick et le conduit vers le terrain.

Mary Pickering, très mal en point, les observe de loin et les suit. Depuis qu'elle a été laissée pour morte dans le désert après le vol plané de Rohman (Lire *Nick la main froide épisode 11 : Le temple d'Osiris*) jusqu'au fond de la Méditerranée, elle a quand même réussi à revenir jusqu'à Alexandrie. Cette femme-lézard a tout fait pour retrouver Nick. Elle compte d'ailleurs le suivre partout. Elle ignore si elle gardera son allégeance envers Rohman où si elle souhaite se lier d'amitié avec Nick et sa bande. Avant d'en être certaine, elle préfère demeurer en retrait et les suivre discrètement.

* * *

La première journée de pratique commune entre les deux équipes de football avait été fantastique. Les deux frères Hamid ne s'étaient pas revus depuis plusieurs années sur un terrain de football. Falel Hamid entraînait donc l'équipe de Martin alors que Maghid s'affairait avec celle de Mahmoud. Falel allait représenter le Canada et Maghid allait diriger l'équipe de l'Égypte au championnat mondial des douze ans et moins qui se tiendra à Paris dans moins de deux semaines. Ils dirigeaient donc deux équipes rivales qui se battraient sans merci pour gagner la Coupe de Cristal. Toutefois aujourd'hui, ils étaient redevenus des enfants et ils avaient décidé de réunir ces deux groupes de joueurs talentueux en ne leur faisant pas vivre trop rapidement la rivalité. Aujourd'hui, ils voulaient absolument que les jeunes retrouvent le plaisir de jouer au football. Ils ont donc décidé de jouer des matchs en mélangeant les joueurs des deux nations. Martin a adoré l'expérience d'autant plus qu'il a joué avec Mahmoud et plusieurs autres Égyptiens.

Depuis qu'ils ont réuni les deux demi-temples ensemble (Lire *Nick la main froide épisode 11 : Le temple d'Osiris* – passage où ils réunissent les demi-temples et en découvrent certaines propriétés magiques), ils comprennent les autres langues sans les avoir étudiées.

Durant la première journée de leur séjour à Alexandrie, ils ont eu l'occasion d'expérimenter et d'utiliser cette sculpture. Ce phénomène de traduction simultanée ou de compréhension des autres langues ne se manifeste que pour ceux qui étaient présents lorsque les deux pièces de la sculpture ont été réunies.

Ce n'est que le début des merveilles que cette sculpture leur révèlera. Sa principale destinée est de permettre à ses propriétaires de retrouver réellement le temple d'Osiris pour révéler au monde ses pouvoirs et un secret ultime qui concerne la Coupe de Cristal. Ce soir, Mohamed, Mahmoud, Nick, Béatrice et Martin se promettent bien d'observer davantage les propriétés mystérieuses de la sculpture.

Mais avant de plonger dans cette étude approfondie, ils sont tous réunis au terrain de football. Les familles égyptiennes ont organisé un grand repas en plein air pour souhaiter la bienvenue aux Canadiens. Une petite scène a été installée sur le terrain car un spectacle leur sera présenté pour que la fête soit parfaite. Quant à Mary Pickering, elle continue de rôder discrètement autour de Nick. Elle essaie de recouvrer tous ses esprits car elle a un message important à transmettre aux Canadiens. Vaguement, elle se rappelle des éléments de sa vie. Curieusement, elle a l'impression d'avoir déjà vu cette Vladana, mais tout cela lui est tellement flou. Ce qu'elle sait vraiment, c'est que de grands dangers guettent Martin. Saura-t-elle retrouver ses esprits pour aider Martin à se sortir des pièges qu'on s'apprête à lui tendre ?

Nick, encore un peu inquiet de ce qu'il a vu dans la bibliothèque d'Alexandrie concernant des dangers pour Martin, commence un peu à se calmer. La fête se déroule merveilleusement bien.

Mary Pickering décide d'aborder Vladana.

— Excusez-moi, dit-elle, je ne suis pas très présentable et je me demande même si je suis votre ennemie ou non ! Mais je dois vous parler.

Vladana reconnait cette femme qui était une esclave de Rohman et avec laquelle elle s'était jadis liée d'une grande amitié. Cela la rassure un peu même si elle la sait maintenant sous l'emprise de Rohman. Ce monstre git au fond de la Méditerranée depuis qu'il y a été lancé par le sphinx mais, sait-on jamais avec lui puisqu'il semble bénéficier de mille vies. Mary avait voulu intercepter le groupe dans leurs recherches tout près de la pyramide puis elle les avait plutôt aidés à fuir son funeste patron. Peut-être était-elle fiable après tout ? Vladana l'entraîne donc un peu plus loin de la scène de spectacle pour l'écouter.

— Je vous ai suivis et je ne reçois plus de message de Rohman ! Mais je me rappelle vaguement les plans qu'il voulait mettre à exécution pour éliminer Martin !

— Le sphinx a lancé à l'eau ce Rohman. Il est sans doute maintenant hors d'état de nuire !

— Tant mieux !

— Je me demande si vous pouvez m'aider. J'ai peur de moi-même avec tous ses pics qui me poussent sous la peau et ce sang de lézard qui coule dans mes veines. Toutes mes idées et mes souvenirs sont maintenant si flous !

Vladana sait au fond d'elle-même que jamais personne n'a pu survivre à des injections de sérums de lézard administrées par Rohman et sa bande de fous. Pourtant, là, peut-être que cette femme représentera une exception et un espoir pour ceux qui sont esclaves de cet homme sans scrupules. De plus, si elle réussit par miracle à retrouver la santé, elle pourra peut-être révéler des indices quand aux obstacles que Rohman, avant de disparaître, a placés sur le chemin de Martin et de ses amis.

Nick en voyant que sa tante s'éloigne de la fête avec une étrange femme, les rejoint. Il reconnait Mary Pickering et propose de l'aider en posant sa main sur son front le plus longtemps possible. Le trio se tient un peu éloigné de la fête et Mary Pickering ressent les effets bénéfiques de l'énergie guérisseuse de la main froide de Nick.

À la fête, pendant ce temps-là, le magicien a laissé la place à un autre homme qui s'appelle Farhoud et qui prépare un spectacle dangereux et spectaculaire.

— Premièrement, se dit en son fort intérieur le traducteur engagé pour ce spectacle, un Canadien qui est ici en voyage recevra trois couteaux lancés par un gardien de but égyptien. À moins que ce dernier ne décide plutôt de les lancer à côté et de laisser le touriste en vie !

Phrase qu'il répète en arabe, ce qui finit par rendre malade de peur Mahmoud qui vient d'être choisi pour participer au spectacle de ce lanceur de couteaux. Pour détendre l'atmosphère et pour amuser les jeunes, les organisateurs de ce voyage en Égypte ont voulu continuer de créer les liens qui se sont amorcés sur le terrain de football durant la journée.

Martin est aussi choisi par Farhoud, le lanceur de couteaux. Il le place devant une planche de bois, lui attache les mains et les pieds, puis il remet les poignards à Mahmoud qui ne semble pas vouloir du tout se mettre en action. Toute l'équipe s'est approchée, les jeunes Égyptiens côtoyant les Canadiens, sans oser leur parler ou même les regarder et vice versa. Toutefois, devant l'angoisse ressentie par Martin et Mahmoud, les regards, les rires, les oh, les ah dépassent la langue et continuent à créer des liens entre eux.

L'homme lève les bras bien haut, demande le silence et commence à danser et à simuler son entrée en transe. Il bande les yeux de Martin, fait tourner les planches de façon à ce que Martin soit la moitié du temps face à Mahmoud.

Voyant que Mahmoud hésite malgré les rires des deux groupes qui s'amusent de la situation, Farhoud, pour lui montrer la façon de faire, lance un poignard vers la planche sans même regarder. La foule lance un cri d'effroi en entendant le poignard rentrer dans le bois. Heureusement, on n'entend pas de gémissement de la part de Martin. L'homme arrête le tournoiement de la planche et tous peuvent voir que le couteau est planté du côté libre de cette planche, à l'opposé d'où Martin est placé. Tout le monde applaudit. Leïla monte sur scène et exige que l'on détache son fils. Cependant, son père, Marco, ainsi que Martin lui-même, lui demandent de se calmer.

— Maman laisse faire. Cela aidera les deux groupes à mieux se mélanger et se connaître. Il ne lance pas vraiment de poignards, tout ce cirque est truqué, voyons.

— Je ne suis pas sûre de cela, Martin. Puis, se retournant vers Marco qu'elle trouve un peu étrange ce soir, elle demande : Marco, ne peux-tu pas arrêter ce jeu ? Tu parles arabe alors demande au lanceur de couteaux de cesser tout de suite le numéro !

Marco se dirige vers Farhoud pendant que Leïla essaie de détacher Martin. Pendant que Marco s'adresse à l'homme aux couteaux, Martin croit bien voir du coin de l'œil que son père semble connaître cet homme. Béatrice, toujours assise parmi les spectateurs aux côtés de son père, remarque que Marco fait un clin d'œil à Farhoud qui lui serre la main d'une façon toute spéciale. Quand leurs deux mains se rejoignent, l'auriculaire et le majeur sont repliés de façon à se joindre. On dirait un signe de pacte mutuel. Béatrice se rappelle avoir déjà vu ce signe et cette façon de se saluer. Rapidement, elle sort le petit carnet noir de Martin (celui que son père lui a confié et dans lequel plein de mots et de signes incompréhensibles sont griffonnés) ; elle se souvient avoir vu sur une des pages un dessin de deux mains qui se joignaient de cette façon. Rapidement, elle retrouve dans le livre, dans le coin inférieur d'une page, ce dessin clairement reconnaissable ainsi qu'un double trait noir qui se croise et qui semble signifier que ce signe est banni et doit être éliminé.

— Est-ce le père de Martin qui a dessiné ce croquis ? se demande Béatrice en se levant pour aller prêter main forte à son ami qui est peut-être en danger sur cette scène. Est-ce Marco aussi qui a barré ce signe ou est-ce quelqu'un d'autre ? Est-ce que cela signifie que ce signe est synonyme de danger ?

Martin rassure sa mère qui reprend sa place aux côtés de Béatrice. Farhoud retourne la planche et semble surpris (ou joue-t-il le gars surpris?) de voir que la pointe du couteau a traversé la planche de part en part pour se loger sous l'aisselle de Martin. Leïla laisse échapper un petit cri alors que tout le monde ressent un peu de peur. L'homme sourit pour montrer que tout cela est facile. Si Nick était resté là, il aurait vu les petits pics de lézard dressés sous le chandail de l'artiste pendant qu'il remet un nouveau poignard à Mahmoud qui le refuse. Alors Farhoud, homme de main de Rohman, décide d'attacher Mahmoud à la planche mais du côté opposé de Martin. Il bande les yeux et l'atmosphère devient plus tendue. En même temps, cela rapproche tout le monde.

L'homme choisit Mohamed. Il lui remet deux couteaux, fait tourner la planche et demande à tout le monde de frapper dans les mains. Sous l'œil vraiment inquiet de Leïla et de Béatrice qui cherche désespérément Nick du regard, l'homme aide Mohamed à lancer ses deux couteaux sous un cri d'horreur de la foule. L'homme arrête la planche et montre que les deux poignards se sont plantés sur les rebords de la planche tout juste entre Mahmoud et Martin, là où l'épaisseur n'est que d'un centimètre environ.

— Martin et Mahmoud sont passés à un cheveu de la mort, se dit Béatrice.

En même temps, Béatrice observe Marco du coin de l'œil. Il semble à peine retenir un rictus et sa main droite est repliée à la manière du dessin. C'est à n'y rien comprendre.

Mohamed grimpe alors sur une table et appelle les encouragements de tous pour l'exploit qu'il vient de réaliser. Tout le monde se doute bien que cet exploit est truqué mais la mystification, comme un tour de magie, est complète. Dans la salle, les murmures continuent car tous jurent avoir vu les deux couteaux lancés par Mohamed, voler dans les airs et atteindre la planche qui tournait sur elle-même. Il a droit à une ovation et les jeunes Égyptiens discutent déjà avec les Canadiens. Farhoud, le lanceur de couteaux, se promène dans la salle et passe tout près de Béatrice qui s'aperçoit que les yeux de cet homme sont un peu trop rouges et qu'il ressemble en fait étrangement à un homme-lézard. Elle sort alors de l'enceinte et cherche Nick car elle voit bien que le numéro n'est pas terminé.

— Nick ! crie très fort Béatrice.

En entendant son nom, Nick retire sa main froide du front de Mary qui, le temps d'un instant, retrouve ses instincts guerriers et crie très fort :

— Vas-y, lance tes couteaux !

— Tes couteaux ? Nick, après avoir signifié sa présence à Béatrice qui le rejoint en courant, retourne vers Mary et dépose à nouveau sa main sur son front.

— Vous parlez de couteaux ? Est-ce mon ami Martin qui est en danger ?

— Oui, dit Mary en retrouvant un peu de sérénité et de bon sens, Rohman a établi plusieurs plans pour vous empêcher de vous approcher de la Coupe de Cristal. Martin Allart périra, transpercé de huit couteaux. C'est écrit. Rien ne pourra empêcher cela !

— Quoi ?

Au même moment, Béatrice comprend l'urgence ultime d'agir.

— Viens, Nick. Vite, vite, il y a un lanceur de couteaux et…

— Un lanceur de couteaux ? Vladana, c'est ce que j'ai lu dans le livre !

— Vite !

Nick et Béatrice courent en direction de la scène pendant que Vladana continue de soigner Mary Pickering qui semble être encore mal en point. Mary le sait, des cauchemars attendent Martin et ses amis avant de pouvoir toucher à la Coupe de Cristal. D'ailleurs, pour elle et le groupe de Rohman, Martin est déjà éliminé.

Sur la scène, le clou du spectacle arrive. L'homme fait taire tout le monde. Il retire les bandeaux des yeux de Martin et de Mahmoud mais les garde attaché. Puis, il fait tourner la planche à grande vitesse. Il se bande les yeux, fait mine de lancer les couteaux dans la foule puis à la surprise générale, lance un de ses douze couteaux vers les planches au milieu de dizaines de cris d'horreur. Il se dirige vers la planche, toujours les yeux bandés, l'arrête de tourner et, à la surprise générale, un petit filet de sang coule sur la joue de Martin. L'homme s'excuse et tout le monde pense qu'il s'agit d'une blague, d'une mise en scène. Mais Leïla se rend compte que son fils n'est pas bien du tout. Elle voit que Martin s'apprête à parler quand l'homme plaque sa main sur sa bouche. Leïla se lève mais se sent impuissante. L'homme rit aux éclats puis détend la foule en faisant des pitreries avant de faire tourner la planche à vive allure. Marco s'approche d'elle et la rassure. Leïla n'aime pas ce qu'elle voit dans les yeux de son ex-mari ; il a les yeux rouges pense-t-elle, il a bu, ses idées ne sont pas claires, comme jadis alors qu'ils vivaient ici, en Égypte. Les lumières clignotent et la musique qui servait d'ambiance jusqu'ici devient assourdissante. Les gens dans la salle retiennent leur souffle alors que Martin et Mahmoud ne sont pas rassurés du tout.

Martin commence d'ailleurs à crier :

— Nick, NICK ! Il a senti le couteau lui toucher la peau, il a vu les pics sortir de la peau de ce lanceur de couteaux, il a vu ses yeux rouges. Il est pris au piège.

— Nick ! Sors-moi de là !

Mais la musique est de plus en plus forte et plus personne ne peut savoir que Martin et Mahmoud sont en danger.

L'homme aux couteaux reprend le même rituel que tout à l'heure, fait peur aux gens de la foule puis s'apprête à lancer les poignards en direction de la planche quand les lumières de la scène et ceux du stade de football s'éteignent toutes en même temps... tout le monde crie. Puis la musique s'arrête et on entend siffler dans l'air du soir égyptien onze couteaux qui fendent l'air et s'enfoncent dans la planche. Les parents et les joueurs se demandent avec angoisse si ces couteaux ont transpercé Martin ou Mahmoud ? Ou les deux ?

Un silence de mort perdure au moins trois secondes dans la noirceur la plus totale puis tout se rallume. Sur la scène, le spectacle est dramatique. La planche tourne sur elle-même lentement et d'un côté, huit couteaux sont plantés en plein centre de la planche là où Martin était attaché tout à l'heure et de l'autre côté, il y en a trois. Mais Mahmoud n'est plus là non plus.

Leïla crie :

— Martin est mort !

Une panique générale s'amorce. Il n'y a plus aucune trace du lanceur de couteaux.

Puis, Béatrice sort des coulisses en tenant Mahmoud et Martin de chaque côté d'elle. Elle les pousse devant et leur fait signe de saluer. Lentement, tout le monde applaudit puis, une ovation monstre marque la fin de ce spectacle qui aurait pu être dramatique. Nick fait signe à Béatrice que tout est ok ; c'est lui qui a éteint les lumières pendant que Béatrice a risqué sa vie en détachant Mahmoud et Martin.

Au loin, l'homme aux couteaux rejoint Mary Pickering qui s'est échappée des mains de Vladana et qui semble recommencer à subir les influences de Rohman. Bien qu'elle se réjouisse que cet attentat n'ait pas réussi, elle ne peut s'empêcher de comprendre et réaliser que son patron est bien vivant. Dans son cerveau, elle entend :

— Reviens dans le désert, reviens dans le désert ! lui répète la voix de Rohman. Mais ramène Baktush Amar avec tous ses avoirs et surtout, son petit livre noir !

Marco, dont le véritable nom est Baktush Amar, est sur le bord de la scène. Il étire ses doigts pour que cesse cette influence néfaste de Rohman. En un éclair, il recouvre ses esprits et rejoint son fils qu'il serre très fort dans ses bras. Trop fort peut-être. Heureusement, Nick s'est avancé et sa main froide sur le dos de Martin touche aussi Marco qui retrouve progressivement tous ses esprits. Il regarde le petit livre noir que Béatrice tient dans ses mains et le message incessant de Rohman qui lui dicte de le reprendre et de le remettre à son patron, s'efface de son esprit.

Baktush Amar est déchiré depuis si longtemps entre tous ceux qui l'entourent et ce Rohman, qu'il a tout remis entre les mains de son fils et de ses amis. Maintenant, il le sent bien, sur la terre d'Égypte, tout son passé revient le hanter. Comment pourra-t-il s'en sortir ?

Accompagné de l'homme aux couteaux, Mary Pickering ne peut plus résister à la voix de Rohman qui semble bien vivant. Ils doivent ramener Baktush. Elle revient donc lentement vers le terrain. L'homme aux couteaux sort une arme de son costume de scène et se dirige sans hésiter lui aussi vers l'attroupement qui se fait sur le terrain de football. Pendant au moins une demi-heure, les deux compères épient les gens qui s'en vont puis, voyant que Baktush, alias Marc-Olivier ou Marco, se tient en retrait. Ils utilisent leur force herculéenne, lui coupent la parole et l'entraînent vers un bosquet. Ensuite, la haine au cœur, ils le dirigent vers un véhicule tout terrain qui les attendait tout près. Rohman lui-même est là pour accueillir Marco, ou Baktush Amar. Le chef lui administre un sérum sur le champ et espère ainsi lui soutirer toutes ses connaissances. Son but : posséder avant tout le monde la Coupe de Cristal. Il croit bien qu'il y arrivera. Baktush est sous son emprise depuis si longtemps.

CHAPITRE 3

Le petit livre noir

Martin n'en revient pas. Deux mois plus tôt, il se préparait à un entraînement de soccer avec plusieurs autres jeunes joueurs du Canada et maintenant, il roule dans une camionnette blanche dans le désert égyptien entre deux pyramides, sous un ciel aux milliers d'étoiles. Assis sur le siège avant entre Béatrice et Vladana qui conduit la jeep, alors que Mohamed, Mahmoud et Nick sont installés derrière, Martin dirige la randonnée avec l'aide du temple miniature qui a commencé à émettre des lumières plus insistantes. Le demi-temple semble indiquer des directions.

Mahmoud fixe le temple miniature qui dirige ses douze faisceaux lumineux vers le ciel puis, semble-t-il, vers la grande pyramide.

Après cette longue journée, le groupe a pris congé de tout le monde et s'est réuni dans le jardin, chez Mahmoud. Ils se sont entretenus en arabe, en polonais ou en français et tous se sont compris car le temple miniature traduit tout simultanément. Martin a attendu que les parents les laissent seuls et que les autres enfants quittent le groupe pour sortir le petit livre noir de son père. Sa mère est repartie rejoindre son père qui, semble-t-il, a quitté le spectacle avant tout le monde. Cela n'inquiète personne puisqu'il est tellement solitaire et mystérieux à la fois. Béatrice a encore en mémoire ce qu'elle a vu mais elle n'ose partager ses craintes envers le père de Martin. Comment pourrait-il être de connivence avec son fils et ses amis et avec cet homme-lézard, lanceur de couteaux ? Cela ne fait aucun sens. Marco leur a remis le demi-temple et son livre, il les aide sans arrêt et semble vouloir que Martin remporte la Coupe de Cristal. Quel est le sens de tout cela ? Et cette Mary Pickering… comment lui faire confiance ? Béatrice sent la colère monter en elle. Elle est demeurée très discrète depuis le début de cette aventure mais elle le sent bien, très bientôt, elle tentera tout pour dénouer tous ces mystères.

Martin, lui, se rappelle les paroles de son père qui lui a dit la veille que le temps était arrivé de ressortir son livre.

— Demain, je t'aide à déchiffrer tout cela. Ça fait longtemps que j'ai pris ces notes mais le jour est arrivé… tu trouveras alors l'accès au temple d'Osiris. Suis mes indications et tu trouveras !

Ce soir, Martin regarde attentivement le petit livre bourré de signes incompréhensibles. Il a bien hâte que son père leur vienne en aide pour déchiffrer tout cela.

— Pourquoi n'est-il pas là ? se demande-t-il.

— Nick, comprends-tu quelque chose à ce qui est écrit dans ce livre-là ? demande Martin.

En compagnie de Nick et Béatrice, il a tenté depuis quelque temps de comprendre les écritures et les codes retrouvés dans ce tout petit livre. Martin, grand champion dans le déchiffrage des codes secrets, avait essayé mais n'y comprenait absolument rien.

Dans ce petit livre, des dessins griffonnés à la main représentent le temple ancien qui brille de mille faisceaux. Béatrice tourne les pages. Puis, sans rien dire, elle montre à tous le signe de la main qui est dessiné dans le livre. Elle espère ainsi que quelqu'un l'aidera à y comprendre quelque chose. Aussitôt qu'elle touche à ce signe, le temple miniature déposé dans son sac vibre et devient très chaud. Tous essaient d'y toucher mais la chaleur est vraiment trop intense. Soudain, des rayons sortent du temple et illuminent le livre qui brûle alors les mains de Martin. Le signe de la main semble sortir du livre qui bouge tout seul et se retrouve par terre, à côté du temple miniature.

Un hologramme apparaît devant Mahmoud, Mohamed, Nick, Béatrice, Martin et Vladana. L'hologramme semble représenter une main qui serre une autre main à la manière dont Farhoud et Marco ont agi le soir même, épié par Béatrice.

— C'est ton père, Martin ! dit Béatrice alors que l'hologramme se précise et que Marco repousse Farhoud et replace ses mains de façon habituelle.

— Mon père ? dit Martin en reculant.

Puis l'hologramme se met à parler.

— Martin, je savais que tu réussirais à décoder tout cela et à réunir les deux demi-temples. Tu es sur la bonne route. Ne remets jamais ce livre à l'ennemi sinon, tout est perdu et toi le premier. Je te confie la plus grande mission : retrouve le temple d'Osiris et gagne la véritable Coupe de Cristal, elle y a été créée. Méfie-toi de ceux qui se serrent la main de la façon indiquée dans le livre... méfie-toi même de moi ! J'ai gravé ces messages secrets au moment où je me sentais bien. Sinon, ne t'occupe pas de me sauver, je crois que je suis déjà mort depuis longtemps mais concentre-toi sur ta mission. Retourne vite dans le désert, près de la pyramide. J'y serai pour te guider. Mais fais vite, très vite !

L'hologramme disparaît et le temple miniature cesse de briller.

— Nous attendions qu'on nous indique la route à suivre alors, venez ! dit Vladana entrainant toute le groupe à sa suite.

* * *

La jeep conduite par Vladana roule à un train d'enfer dans le désert. Dans le véhicule, règne un silence mystérieux. Martin tourne les pages du livre alors que Mahmoud pointe le temple vers tous les signes incompréhensibles qui sont dessinés là. Vladana appuie soudainement de toutes ses forces sur la pédale de frein et immobilise le véhicule.

— J'ai aperçu quelqu'un ! Vous avez vu ?

Durant cette manœuvre, le mini-temple d'Osiris tombe à la renverse, bascule par-dessus le dossier du siège occupé par Béatrice, Nick et Martin et se retrouve à leurs pieds. Par un curieux hasard, il se retrouve sur le petit livre noir du père de Martin. Un des faisceaux lumineux éclaire les deux pages ouvertes. Se produit alors un nouveau phénomène exceptionnel. Seules quelques lettres et quelques illustrations s'illuminent. Martin observe attentivement.

Sur la banquette avant, Vladana, Martin et Mahmoud sortent rapidement de la camionnette et se dirigent vers l'arrière du véhicule.

— Il y avait un homme, là, habillé d'une longue tunique bleue. Vous l'avez vu ? demande Vladana.

Mahmoud cherche un peu puis trébuche sur une pierre. Fâché de s'être fait mal, il prend la pierre et au moment où il s'apprête à la lancer très loin, la pierre s'illumine. Martin sort du véhicule en tenant le livre et le temple dans ses mains. Des mots sortent du livre et s'imprègnent sur la roche en un éclair de feu. Mahmoud, se brûlant les mains, laisse tomber la pierre au sol.

Ils observent la pierre de très près et y voient des routes dessinées ainsi que des mots simples, comme à gauche et à droite, qui se sont imprégnés sur la pierre.

— C'est une route, c'est un chemin, un message. On va découvrir le temple d'Osiris. dit Martin.

Mohamed reste un peu derrière et se dit :

— Le temple aux milles trésors.

CHAPITRE 4

Le temple d'Osiris

Mary Pickering n'aime vraiment pas ce qui lui arrive. Elle vient d'aider Farhoud à enfermer Baktush Amar, le père de Martin, dans une petite maison de pierre non loin de la grande pyramide. Rohman a encore réussi à s'en sortir. Il a plongé très loin dans la mer, enfermé dans sa jeep projetée par le souffle du sphinx mais comme toujours, il a réussi à s'extirper de cette fâcheuse position. Comment a-t-il fait ? Il est convaincu que tout ce qui arrive autour de lui a pour but de l'aider à acquérir tous les pouvoirs. La mort ne lui apparaît jamais comme une possibilité. À cent mètres sous l'eau, incapable d'ouvrir la portière de sa jeep, il se concentrait déjà sur le plan qu'il appliquerait pour trouver enfin cette fameuse Coupe de Cristal. Tout doucement, sans paniquer, il a brisé la fenêtre avec son coude, ne se souciant pas des coupures que cela pourrait lui occasionner et des requins que son sang attirerait. Il n'a nullement peur des requins et, surtout, il n'a pas peur du sang. Tout le temps qu'il a pris à se faufiler hors de la jeep et à remonter vers la surface au milieu de son sang et à travers les attaques de dizaines de requins, il ne pensait même pas au souffle qui lui manquait et à l'eau qui bientôt s'infiltrerait dans ses poumons. Pour lui, il n'était aucunement question de se noyer. Rien ne l'empêcherait de triompher avec la Coupe de Cristal à bout des bras devant l'humanité toute entière qui s'agenouillerait devant sa grandeur et la force de son regard.

Après avoir frappé et même mordu des requins, il est sorti de l'eau, le corps en sang et les poumons vides d'air depuis quelques minutes déjà. En restant étendu sur le bord de la Méditerranée, il ne pensait qu'à ses hommes et ses femmes-lézards qui mettraient en marche le plus grand plan d'attaque jamais vu. Tout serait mis en œuvre maintenant pour découvrir ces passages de cristal. Farhoud et ses couteaux viendraient à bout de Martin.

En effet, en récupérant enfin un peu d'air et en s'assurant qu'il était bien en vie, Rohman se mit à sourire. Il avait bien joué ses cartes. Depuis très longtemps, il avait réussi à attirer dans ses filets Marc-Olivier Allart, alias Marco, qui s'appelle en réalité Baktush Amar. Il lui avait fait goûter à sa médecine de sang de lézard mais à si petites doses qu'il avait plongé dans le monde des ténèbres très lentement… sans s'en rendre compte. Mais Baktush Amar avait désobéi en refilant toutes ses connaissances à son fils.

— Il est temps maintenant d'en finir avec lui ! se dit Rohman en se relevant et en communiquant avec Mary et Farhoud.

Heureusement pour Martin, Béatrice et Nick lui avaient sauvé la vie en déjouant les plans de Farhoud, mais le plan visant à enlever Baktush Amar avait réussi. Rohman était décidé à jouer le tout pour le tout. Baktush Amar était rendu à sa fin… fini les petites doses de sérum pour détruire son cerveau petit à petit. Maintenant, il irait vers sa fin.

Mary Pickering avait aperçu avec horreur Rohman passer outre les hurlements de Baktush Amar et lui administrer une forte dose de sérum de sang de lézard qui allait bientôt le rendre complètement dépendant de la volonté du maître.

Mary avait vu tout cela, elle avait ri avec Farhoud et avec des dizaines d'autres personnes sous l'emprise maléfique mais, à sa grande surprise et aussitôt que Rohman eut le dos tourné, elle décida de s'évader encore une fois.

Depuis que Nick lui avait touché le front de sa main froide et depuis qu'elle avait regardé Vladana dans les yeux, il n'était plus question qu'elle périsse dans ce groupe de monstres. Elle s'échapperait et elle retrouverait Nick et Vladana. En partageant un peu de temps avec eux, elle saurait pourquoi elle a l'impression mystérieuse et profonde de connaître Vladana, de l'avoir déjà vue il y a longtemps, très longtemps même.

Chapitre 5

Le passage secret

Maintenant qu'ils détiennent le temple et le livre, tout semble s'ouvrir pour les mener à bon port. Ils suivent les directions vers de petits chemins inconnus ; la pierre continue à indiquer à tous les cent mètres environ s'il faut continuer tout droit ou tourner à gauche. Ils s'infiltrent dans de petits souterrains puis dans des tombeaux abandonnés. Plusieurs fois, ils pensent découvrir un temple rempli d'or ou une momie qui se réveille pour leur parler de la richesse du temple d'Osiris. Mais ils ne sont toujours pas rendu à destination. Les indications de la pierre messagère prennent constamment origine à chacune des pages du petit livre noir. Sur les parois de pierre apparaissent alors des dessins faits par Marco relatant tel ou tel passage. Puis, la roche indique de continuer et de s'enfoncer encore plus dans les couloirs souterrains. L'excitation est à son comble.

— Nous avons trouvé le bon chemin, dit Martin. Mon père nous a remis cela car il savait que Rohman serait sur son dos sans arrêt. Mon père a tracé toute cette carte pour nous. C'est fantastique. Mes amis, nous allons découvrir le temple d'Osiris et son secret. Il ne nous reste que deux pages dans le petit livre.

La magie du petit temple relié au livre de Marco opére et un hologramme de Baktush Amar, portant une tunique bleue, apparaît :

— Bonjour à tous. Votre découverte approche. Mais vous devrez faire face au défi le plus grand et à la lutte contre votre peur. Plus rien ne sera pareil si vous osez trouver et ouvrir la bonne porte. Pour vous rendre à ce choix, suivez le premier couloir sur votre gauche, tournez ensuite sept fois à gauche puis ne prenez aucun des sept couloirs suivants. Ensuite, empruntez le premier couloir à gauche et vous arriverez à destination. Le labyrinthe que vous aurez pris alors vous mènera à une ou des portes. Il vous faut trouver et choisir la bonne. Suivez vos intuitions. N'oubliez pas que chacun de vous est important. Martin, si tu es là, sache que je t'aime et que tout ce qui m'arrivera ne compte plus. J'ai tout fui et tout sacrifié pour qu'un jour, la Coupe de Cristal revienne en force. À toi d'aller jusqu'au boùt.

— Papa, je ne comprends pas, papa ! crie Martin, mystifié par cet hologramme qui semble plus réel que les autres.

Nick calme Martin avec sa main froide et Béatrice incite tout le monde à la suivre. Elle a tout noté le trajet dans sa tête. Le labyrinthe les mènera sûrement à bon port, se dit-elle. Mohamed se tient toujours à l'arrière du groupe pour noter et dessiner en secret toutes les routes du labyrinthe qu'ils viennent d'emprunter.

Le groupe débouche donc finalement dans une petite pièce circulaire au creux de la Terre où, semble-t-il, il n'y a aucune issue. Au bout d'une demi-heure de recherche et de tâtonnements sur les murs, Vladana, Martin, Nick, Béatrice, Mahmoud et Mohamed s'assoient au centre de la petite sphère au creux de la Terre et se demandent comment ils vont réussir à trouver ces portes dont le père de Martin a parlé. Ils installent le petit temple miniature ainsi que le livre ouvert à la dernière page, celle qui devrait en principe les mener à destination. Outre la lumière émanant du petit temple qui éclaire le groupe depuis le début de leur périple, rien ne se passe.

— Comment allons-nous faire pour sortir d'ici ? demande Mahmoud qui commence à avoir chaud dans ces souterrains étroits.

— On pourrait retourner sur nos pas ! constate Béatrice.

— Non! Il faut qu'on trouve! dit Mohamed.

À la surprise de tous, Mohamed entre tout à coup dans une grande colère.

— Bon là, c'est assez! Je ne suis pas venu ici pour ne trouver que de la roche. Partout, tout le monde parle de trésors. Alors moi, je veux un trésor, c'est clair? crie Mohamed.

Mahmoud, un peu gêné de l'attitude de son cousin, se lève pour le calmer un peu :

— Mohamed, s'il te plaît, laisse-les réfléchir... nous avons de la visite du Canada et toi, tu te comportes comme un fou.

— Mahmoud, le Canada et toutes ces pierres égyptiennes m'importent peu!

— Mohamed, s'il te plaît...

— Ce livre ne m'importe que peu. Ces petits dessins ne mènent à rien.

Mohamed, en proie à une colère digne d'un enfant de deux ans, saute alors au centre du groupe, saisit le petit livre et avant qu'on ne réussisse à l'en empêcher, le lance de toutes ses forces contre un des murs. La dernière page se détache et explose comme de la dynamite. Aussitôt, des pierres s'effondrent créant un petit éboulis et une épaisse poussière recouvre tout le groupe. Tous peinent à respirer pendant deux ou trois minutes puis la poussière retombe et ce qu'ils voient les stupéfait :

— Regardez, dit Béatrice, une ouverture en forme de porte.

Tous se retournent vers Mohamed qui se tient tout petit, très piteux :

— Excusez-moi, je n'en pouvais plus et…

— Non, au contraire Mohamed. Grâce à ta colère, tu as ouvert un passage ! Mon père parlait d'une porte, comment savais-tu que la dernière page était en fait de la dynamite ?

— Je… je… c'était facile à deviner ! dit Mohamed, fier comme un paon en sortant par la porte.

Tous le suivent en riant. Ils se retrouvent donc dehors, au creux d'une profonde fosse entourée d'échelles qu'ils grimpent joyeusement. Surpris, ils sont devant la grande pyramide.

— Mais où est le temple d'Osiris ou la Coupe de Cristal ? Nous sommes revenus au même point. Regardez, notre jeep est là-bas ! constate Martin en éclairant aux alentours avec le temple miniature qu'il a bien pris soin d'apporter.

— Tout cela ne nous a servi à rien ! dit Béatrice.

Tout à coup, Mary Pickering arrive en courant vers eux.

— Bonjour, je vous cherchais partout, dit-elle au groupe. Je… je… ne me faites pas confiance, je suis une femme-lézard. Rohman m'a tout pris ; je ne sais même plus qui je suis mais je sais que je ne veux pas être associée à lui. Ne me faites pas confiance et fuyez. Il arrive car il sait que vous êtes ici !

— Mais c'est impossible ! dit Vladana.

— Il y a un espion parmi vous ! dit Mary.

— Mais, mais, ce n'est pas moi, dit Mohamed, c'est même moi qui ai découvert la porte.

Au même moment, Rohman arrive avec plusieurs hommes-lézards.

— Merci, Mary. Merci de m'avoir mené jusqu'ici !

Rohman lève un bras bien haut et fait des signes pour attirer Mary qui commence à rugir puis à retourner vers lui. Nick dépose sa main froide sur sa nuque et Mary reste finalement avec eux.

— Fais comme tu veux, Mary, avant de mourir. J'ai un autre espion qui aime beaucoup l'or ! Mohamed, donne-moi le plan que tu as dessiné et tu auras tout l'or désiré !

Mohamed s'avance vers Rohman mais Mahmoud le retient :

— Un instant, cousin. Tu m'as toujours dit quoi faire mais là, ça suffit. Tu restes ici. Et ce plan, dit-il en l'arrachant des mains de son cousin tellement pétrifié qu'il ne bouge plus, il ne servira plus à personne !

Mahmoud déchire le papier et pendant que Rohman et ses lézards approchent, l'engouffre dans sa bouche et l'avale.

— Mahmoud, qu'est-ce que tu fais ? crie Mohamed, nous serions devenus riches avec ce plan. Maintenant, nous sommes perdus !

— Non, Mohamed. Vous n'êtes pas perdus, vous êtes morts ! crie Rohman en faisant signe à ses hommes-lézards d'attaquer. Farhoud, le lanceur de couteaux, vise Mohamed en plein cœur mais Nick le protège en plaçant sa main sur sa trajectoire. Le couteau se plante dans le creux de sa main froide qui demeure toutefois intacte. Vladana l'enlève et chuchote au groupe :

— Nous n'avons pas choisi la bonne porte. Ton père nous avait prévenus, Martin, il faut choisir la bonne porte ! Venez, il y a sûrement une autre issue !

Pour éviter la bagarre, le petit groupe d'amis quitte les lieux en vitesse pour retourner dans la petite pièce sphérique sous la Terre. Rohman et sa bande suivent de très près. Mary ne retrouve entre les deux groupes, parfois attirée comme un aimant par Rohman et parfois décidément aspirée par le groupe de Vladana. Mohamed, pour sa part, a vraiment peur de se retrouver avec Rohman. Il descend les échelles à vive allure et se retrouve même le premier à l'intérieur de la petite grotte. Il regrette amèrement avoir écouté les propos de ce Rohman qui lui promettait tant de richesses pour si peu de choses. D'un autre côté, il en veut à Mahmoud d'avoir mangé le plan ; cela aurait pu servir. Il engueulera donc sûrement Mahmoud et essaiera de le faire vomir plus tard quand ils rentreront chez eux dans leur quartier douillet. Mais pour l'instant, il a seulement le goût de refermer le passage pour que ce Rohman rentre se coucher avec ses monstres de lézards.

Vladana aide Nick, Martin et Béatrice à passer la porte. Mary reste dans l'ouverture :

— Je leur bloque l'entrée, dit Mary, mais faites vite car lorsqu'ils me toucheront, je serai de leur côté.

— Qu'est-ce qu'on fait maintenant? demande Martin.

— Sans le travail d'espion de mon cousin, nous n'en serions pas là ! dit Mahmoud qui peine encore à avaler les derniers bouts de papier.

— Mahmoud, tu m'inquiètes. Tu n'aurais pas dû avaler cela, dit Mohamed en lui donnant de petites tapes dans le dos. Allez, mon cousin préféré, crache le morceau.

— Non, je ne cracherai rien. Tu veux mon bien-être parce que tu souhaites récupérer le plan... avoue... Je vais avaler un livre au complet, s'il le faut, mais je ne t'aiderai pas à aider un fou !

— Mahmoud, dit Martin, ça me donne une idée... Regardons s'il reste des bouts de papier du livre de mon père. Nous pourrions encore nous en servir comme dynamite.

Tous se précipitent tout près de Mary pour chercher des résidus de papier du petit livre.

— Dépêchez vous, ils arrivent, crie Mary en se penchant pour éviter un couteau qui traverse la porte et vient se planter à un centimètre du nez de Mohamed.

— Bon, dit Mohamed, je crois qu'il faut trouver une solution. Voulez-vous que je recommence la colère que j'ai faite tout à l'heure avec le temple miniature ? Parce que j'en ai assez aussi de ce temple de malheur qui ne nous mène nulle part, sauf entre les mains de fous furieux! dit-il en saisissant fermement le temple miniature.

Pendant qu'il tient le temple dans ses mains, celui-ci s'illumine de lumières rouge vif. Mohamed fait mine de le lancer vers une autre partie du mur.

— Excusez-moi, je blaguais! dit-il en arrêtant son mouvement.

— Excellente idée au contraire, dit Martin. Regardez, des pierres sont tombées quand tu as fait le geste.

Mohamed refait le même mouvement mais cette fois, il lance le temple miniature en direction du mur.

— Trop tard, ils sont là, crie très fort Mary. Attention, parce que Farhoud nous lance…

Au même moment, le temple miniature frappe le mur et crée une grande explosion… de la poussière se répand partout et initie une grande confusion à l'intérieur de la grotte.

Au bout de deux ou trois minutes très angoissantes, la poussière retombe par terre et tout le groupe est émerveillé par ce qu'il voit ; non seulement une nouvelle porte vient de s'ouvrir mais la première porte s'est refermée. Mary est saine et sauve dans la grotte alors que Rohman et compagnie sont restés dehors. Un hologramme représentant le père de Martin apparaît :

— Voilà enfin la fin du rôle de ce petit temple qui a été créé il y a très longtemps par ceux qui souhaitaient protéger l'accès au temple d'Osiris. Vous y êtes maintenant en chair et en os. Entrez, entrez et admirez le pouvoir qui origine d'ici !

L'hologramme disparaît pendant que Baktush Amar se penche avec respect jusqu'au sol.

Vladana et Martin entrent par la porte, suivis de Nick et de Béatrice puis de Mahmoud et enfin de Mohamed. Celui-ci donne de petites tapes sur le dos de Mahmoud en espérant toujours qu'il recrache le plan. En même temps, il se retourne vers Mary qui le suit vers l'entrée du temple d'Osiris. Le groupe traverse dix mètres dans le désert pour se rendre à de grandes marches. Mary semble très perturbée par tout ce qui lui arrive. Rohman a peut-être retrouvé une emprise certaine sur elle.

Elle franchit tout de même la porte qui la mène versle temple d'Osiris et qui pourra enfin l'aider à redevenir elle-même.

Derrière eux, un drame se prépare. Là où la première porte s'est refermée, une pointe de métal transperce la pierre. Cette pointe bouge quelque peu et fait tomber de petites pierres. Quand Mohamed a lancé le temple miniature pour ouvrir la deuxième porte, des pierres énormes et épaisses sont retombées pour refermer tout accès à cette précieuse grotte. Au même moment, Farhoud a attaché une corde au bout d'un de ses poignards avant de le lancer ultimement vers l'ouverture. La lame du couteau, sans atteindre Mary, a tout de même réussi à entrer d'un centimètre à peine dans la grotte. Tout autour, des pierres immenses et lourdes ferment le passage. Le couteau est toujours attaché à la corde dont l'autre extrémité est entre les mains de Farhoud et maintenant de Rohman.

— Bien joué, Farhoud! lui dit Rohman qui fait tout de suite signe à des centaines et des centaines d'hommes-lézards qui reçoivent l'ordre de creuser autour de la corde.

Rohman fomente aussi dans son ignoble cerveau un plan qui transpercera le cœur de ce jeune Martin.

CHAPITRE 6

La boule de feu

Martin, lui, se retrouve à l'entrée d'un temple fantastique, merveilleux, splendide, décoré d'or tout entier : le véritable temple d'Osiris. La porte de la grotte mène dans le désert devant quelques marches qu'il suffit de grimper pour atteindre l'entrée du temple. Le soleil brille de tous ses feux. Vladana indique à tout le monde de ne pas entrer mais de regarder à l'intérieur.

— Quand on franchit cette porte, c'est qu'on est mort. C'est le pharaon Aménophis 1er qui l'a fait construire pour sa gloire car il croyait y trouver la vie éternelle mais il a été conduit vers les dédales de la mort comme tous les humains avant lui.

Mary s'avance et regarde à l'intérieur du temple. En touchant à la porte d'or, elle tombe à genoux et pleure. Puis, pendant que Nick l'aide à se relever, elle entre dans le temple et se dirige vers une immense sphère transparente. Elle y entre et disparaît. Puis presqu'aussitôt, elle en ressort habillée totalement différemment. C'est là, seulement là que Vladana la reconnaît :

— Mââla, tu es Mââla. Nick, Béatrice, Martin ! Vous vous souvenez de la grande amie du pharaon Aménophis (Lire *Nick la main froide épisode 11 : Le temple d'Osiris*), celle qui m'a trouvée et qui m'a guidée jusqu'ici ?

Mary, après être entrée dans la sphère, est redevenue elle-même. Son sourire et la paix de son âme transpirent sur son visage et lui redonne cet air assuré qu'elle a toujours arboré. L'influence de Rohman a enfin complètement disparu grâce à sa présence dans la spère du temple d'Osiris.

— Venez, leur dit Mââla, ne craignez rien, je suis la seule, avec Vladana et les êtres éternels, qui peut vous faire visiter l'entrée du pays des morts. Je suis la guide d'Osiris. Voilà pourquoi Rohman a eu tant de mal à posséder mon esprit. Merci, vous m'avez guidée jusqu'ici. À mon tour de vous montrer l'histoire de ce temple.

Mââla tend la main à Vladana qui tend la main à Nick qui prend celle de Béatrice qui serre celle de Martin dont la main tient celle de Mahmoud qui offre la sienne à Mohamed qui hésite encore à les suivre dans ce monde.

— Je ne vois pas de trésor ici! se dit-il tout bas, très déçu.

— Cette sphère semble vide, dit alors Mââla, mais quand on franchit cette petite membrane de cristal, tous les mondes sont accessibles.

Cela titille assez Mohamed pour être tenté de saisir la main de Mahmoud. Grand bien lui fasse car juste au moment où il entre dans la bulle, une ombre grimpe les marches du temple et observe l'intérieur du temple. C'est Rohman qui, enfin, se retrouve où il a toujours voulu être. Un peu comme Mohamed, ce dernier est déçu de ce qu'il voit à l'intérieur de ce temple. Rohman fait signe à deux de ses hommes-lézards qui traînent un homme menotté et inconscient: Marc-Olivier Allart. Rohman a un plan pour entrer sain et sauf et aller quérir les plus grands pouvoirs.

À l'intérieur de la bulle, Mohamed écarquille les yeux. Les diamants, l'or, le cristal, les émeraudes, les splendeurs qui entourent tout ce qu'ils voient sont indescriptibles.

— Je vous transporte de palais en palais pour vous partager un peu des milliards de milliards de mondes merveilleux qui sont traversés et nourris par ce temple. N'essayez pas de ramener de l'or ou des diamants d'ici, tout est disponible partout ailleurs. Il ne sert à rien de voler quoi que ce soit. Tout est partout. Regardez à votre droite.

Tous ont remarqué qu'une boule de feu les suit dans toutes les pièces.

— Cette boule de feu est la source de tout. C'est Osiris. C'est cette boule qui a traversé Vladana et qui l'a rendue éternelle et moi aussi. Mais ne vous y précipitez pas car Osiris décide si vous partez vers la mort ou vers la vie quand vous traversez cette boule de feu. Les dieux ont décidé de redonner une chance aux humains et de leur partager le pouvoir de cette boule. Cela a échoué une fois … Venez, je vais vous montrer la première fois que cette boule de feu et son pouvoir infini ont été utilisés.

Rohman sait que jamais il ne pourrait entrer dans cette sphère de cristal sans la présence de Baktush Amar. Il le tient donc solidement par la main et entre au milieu du temple. En secret, ils suivent le groupe mené par Mââla.

Mââla entraîne tout le groupe dans une autre pièce qui s'ouvre sur le monde extérieur. Ils se retrouvent au milieu d'un immense chantier de construction à Alexandrie au même moment où Vladana l'a fait visiter en rêve un peu plus tôt.

Nick revoit la même scène où une cohorte armée bouscule involontairement le chef du chantier qui a reçu sur une jambe une immense pierre qui lui a broyé l'os. Nick, impuissant, a beaucoup souffert de ne pouvoir l'aider. Alors cette fois-ci, en voyant que tout le monde salue Mââla au passage, Nick juste au moment où la cohorte va frapper le chef, laisse les mains de Vladana et de Béatrice et court déplacer le patron du chantier.

La pierre tombe alors à deux centimètres de la jambe du patron qui, pour remercier Nick de son attention, l'invite personnellement à une cérémonie toute spéciale. Cérémonie qui est justement présidée par Mââla.

— Vladana, demande Nick. Nous pouvons changer des choses du passé, tu as vu ? Le chef du chantier n'a pas été blessé alors que l'autre jour, lorsque tu m'as fait visiter...

— Nick, intervient Mââla, tout est écrit mais rien n'est définitif, tout peut toujours changer.

Le groupe arrive aux pieds du Phare d'Alexandrie qui sera inauguré très bientôt. Des milliers de personnes se dirigent vers le lieu de cérémonie. Une longue allée de pétales de fleurs prépare l'arrivée de quelqu'un. Puis un char immense tiré par une centaine d'hommes portant un masque de lion s'approche du fameux Phare. Une femme est assise tout en haut de ce palais roulant. Dans ses mains, elle tient une boîte qui brille.

— Cette femme est une déesse, dit Mââla, elle est éternelle. Elle s'appelle Isis, c'est la femme d'Osiris, le dieu des morts et de ce temple. Il lui a confié le soin de remettre ce cadeau aux humains.

Isis est si belle que les gens ont de la difficulté à la regarder. Ses yeux sont faits de feu et sa peau est comme le soleil. Nick ne peut retirer son regard de cette femme hors du commun. Mohamed comprend maintenant ce que veut dire le mot trésor. Elle vaut tous les trésors de la Terre, pense-t-il.

Sans dire un seul mot, Isis s'approche du Phare en portant sa boîte à bout de bras. Elle marche si doucement qu'on dirait qu'elle flotte au-dessus de l'air. Soudain, elle s'arrête devant Martin et lui fait signe de la tête. Sans qu'elle ne prononce un seul mot, Martin comprend qu'elle lui demande d'ouvrir la boîte ; ce qu'il fait très doucement. Puis Isis se tourne vers Nick et Vladana : « Prenez ! » elle prononce ce seul mot et sa voix ressemble à une chanson. À l'intérieur, ils aperçoivent une boule de feu semblable à celle représentant Osiris mais en plus petite. C'est une copie.

Nick et Vladana saisissent donc ensemble cette boule de feu qui servira de lumière divine au-dessus du Phare d'Alexandrie.

— Nick, Vladana, vous avez été choisis parmi les êtres humains pour déposer et protéger cette boule de feu et de cristal. Les dieux ont décidé de confier aux humains ce pouvoir ultime. Puissent les hommes s'en servir comme Phare dans la nuit pour éviter les naufrages et non comme une source de pouvoir sur les autres hommes.

Sa voix s'est alors tue mais la musique qui sort de sa bouche autour de ses mots continue à flotter dans l'air quand Nick et Vladana s'approchent pour déposer cette boule de feu sur la plus haute marche du Phare.

— Si personne n'ose s'approprier la force de cette boule de cristal pour soi et si les humains laissent ce Phare éclairer les marins qui viennent du monde entier, ce pacte entre les dieux et les hommes pourra continuer à exister. Sinon, la colère des dieux sera terrible.

La fête s'est alors répercutée partout dans la ville d'Alexandrie. Mââla, au bout d'un moment, a signifié à tout le monde qu'il était temps de rentrer.

— Les gens du futur, comme vous, ne peuvent pas rester trop longtemps dans le passé... ils pourraient perturber tant et tant de choses. Ce Phare par exemple a éclairé le monde égyptien pendant 1 700 ans. Ensuite, cette même boule de cristal a continué à servir les humains. Maintenant, c'est cette boule qui trône au-dessus de la Coupe de Cristal. Quand le Phare a été détruit, le pacte entre les dieux et les humains n'a pas été rompu. Alors, dit Mââla en regardant tout le groupe, vous ne ramenez rien, j'espère?

Tous se retournent vers Mohamed.

— Mais quoi? Vous ne pensez tout de même pas que je volerais des choses après une visite chez les dieux?

— Oui, on le pense! dit Mahmoud en soutirant le rire de tous.

Mohamed se décide alors à vider ses poches qui sont en fait pleines de roches.

— Ah! Tiens, elles sont sûrement tombées de je ne sais où! Fouillez vos poches, vous aussi... fouillez!

Mohamed continue à vider ses poches. Mââla saisit ces roches et s'approche au centre de la bulle, là où brûle un feu terrifiant et fantastique à la fois. Même les yeux de Mââla et de Vladana, même si plus expérimentés, se plissent et ne peuvent fixer cette boule. Tous ferment leurs yeux.

— C'est la boule de feu qui vient des dieux. Osiris est le gardien de ce feu. La boule de tout à l'heure a été forgée ici, elle ne représente qu'une infime partie de cette boule de feu qui est indestructible. Les morts passent par ici et revoient le fil de toute leur vie avant de passer dans l'au-delà.

— Qu'est-ce qui se passe si quelqu'un tombe là-dedans ?

— Il meurt ou il devient éternel, ce qui est très rare !

— Je suis tombé là-dedans et Vladana aussi !

— Moi aussi ! dit tout bas Marco, le père de Martin qui, tenu fortement par Rohman, se cache toujours derrière le groupe.

Mââla saisit les roches que Mohamed a voulu ramener et les lance dans le feu brûlant du temple d'Osiris ! Des lumières bleues et vertes jaillissent tout autour du groupe puis une grande force soulève Mohamed et le fait osciller au-dessus du feu.

— Mahmoud, Mahmoud, sauve-moi !

— Qu'est-ce qui se passe ? demande Mahmoud en essayant de porter main forte à son cousin.

— N'y va pas, Mahmoud… tu ne reviendrais jamais ! dit calmement Mââla.

— Mais je ne peux pas laisser mon cousin mourir ! Nick, fais quelque chose !

Nick s'approche de Mohamed et, défiant le feu avec sa main froide, il lui tend la main puis très calmement, il lui dit :

— Mohamed, donne-moi la main. Mais auparavant, lance ton micro dans le feu !

— Quoi ? crie Mohamed.

— Vas-y, détruis-le !

Mohamed fouille dans ses vêtements et défait un appareil électronique. Il lance ensuite cet appareil en criant très fort :

— Rohman, je refuse de collaborer avec toi ! Adieu !

Nick s'approche encore plus près du feu. Mohamed lui saisit la main et Nick le sauve de la mort.

Rohman rit en les voyant se diriger hors du temple d'Osiris. Il se dit tout bas :

— Merci Mohamed, tu en as déjà fait beaucoup !

Pendant que Nick, Vladana, Mââla, Martin, Béatrice, Mahmoud et Mohamed sortent du temple et s'infiltrent par la porte pour se diriger vers le labyrinthe qui les ramènera sur la terre ferme, Rohman pousse Marco vers la boule de feu en lui disant :

— Ramène-nous sur le lieu du Phare juste avant sa destruction, en 1303 !

Marco, complètement hypnotisé par Rohman, entre directement dans le feu et y entraîne Rohman. Les êtres éternels peuvent voyager vers toutes les époques. Ils sont des dieux. Ils en ressortent en 1303 sur le site du

Phare d'Alexandrie. Marco vole la boule de feu du Phare qui, cette journée même, tombe dans la mer Méditerranée.

Marco et Rohman en ressortent, repassent par le feu et sortent du temple d'Osiris en courant.

Au même moment, monsieur Letourneur, sur le site du Phare d'Alexandrie, réussit à extirper de la mer tous les fragments de cette merveille. À sa grande surprise et contrairement à tout ce que la légende racontait à ce sujet, il retrouve une boule de pierre qui ne brûle plus d'aucun feu. Pourtant, tous les écrits mentionnaient que cette boule ne pouvait jamais être détruite.

Dans le désert, Marco et Rohman s'apprêtent à franchir la porte derrière le groupe de Vladana. Puis sans avertissement, Rohman saisit la boule entre ses mains et frappe de toutes ses forces Marco qui tombe inconscient sur le sable du désert. Une tempête foudroyante se soulève alors et enterre en moins de quelques minutes toutes traces du temple d'Osiris. Rohman foudroie tout sur son passage, rejoint la grotte et rit de voir des tonnes de pierres s'effondrer. Il attache donc ses jambes à la corde que Farhoud avait lancée plus tôt avec son poignard. Donnant trois puis quatre puis trois petits coups sur la corde, il se couche, se détend et attend que ses serviteurs viennent le délivrer. Pendant ce temps, tout s'écroule aux alentours.

Le temple d'Osiris est perdu dans la tempête, le groupe de Vladana est enterré vivant alors que lui, Rohman, possède la boule de feu qui lui donnera tous les pouvoirs. Farhoud réussit à le rejoindre et à le tirer d'embarras juste au moment où une dernière secousse enterre peut-être à jamais les galeries souterraines qui auraient pu permettre à Vladana, Mââla, Nick, Béatrice, Martin, Marco, Mohamed et Mahmoud de revenir à l'air libre.

Voyez comment ils essaieront de se sortir de leur prison souterraine et comment ils poursuivront sans relâche Rohman dans *Nick la main froide épisode 13 ; La montagne sacrée* !

TABLE DES MATIÈRES

Achevé d'imprimer sur les presses de
Quebecor World Saint-Romuald.

Imprimé sur du papier Enviro 100% postconsommation,
traité sans chlore, accrédité Éco-logo et fait à partir de biogaz.

certifié

procédé
sans
chlore

100 % post-
consommation

archives
permanentes

energie
biogaz